四季之书

U0291947

银装素裹的冬天

Winter A Season for Chestnuts

【希】丽莎·博隆扎克斯/著

【希】丹妮拉·扎基娜/绘

张卫红/译

北京理工大学出版社
BEIJING INSTITUTE OF TECHNOLOGY PRESS

版权专有　侵权必究

图书在版编目（CIP）数据

银装素裹的冬天 / （希）丽莎·博隆扎克斯(Litsa Bolontzakis) 著；（希）丹妮拉·扎基娜(Daniela Zekina) 绘；张卫红译. — 北京：北京理工大学出版社, 2018.6

（四季之书）

书名原文: Winter: A Season for Chestnuts

ISBN 978-7-5682-5538-7

Ⅰ.①银… Ⅱ.①丽… ②丹… ③张… Ⅲ.①冬季—儿童读物 Ⅳ.①P193-49

中国版本图书馆CIP数据核字(2018)第069246号

北京市版权局著作权合同登记号图字：01-2018-1587

Copyright © Litsa Bolontzakis

Published by Publications Hummingbird International

The simplified Chinese translation rights arranged through Rightol Media （本书中文简体版权经由锐拓传媒取得Email:copyright@rightol.com）

出版发行 / 北京理工大学出版社有限责任公司

社　　址 / 北京市海淀区中关村南大街5号

邮　　编 / 100081

电　　话 /（010）68914775（总编室）

　　　　　（010）82562903（教材售后服务热线）

　　　　　（010）68948351（其他图书服务热线）

网　　址 / http://www.bitpress.com.cn

经　　销 / 全国各地新华书店

印　　刷 / 三河市祥宏印务有限公司

开　　本 / 889毫米×1194毫米　1 / 16

印　　张 / 2.25　　　　　　　　　　　　　　　　责任编辑 / 杨海莲

字　　数 / 45千字　　　　　　　　　　　　　　　文案编辑 / 杨海莲

版　　次 / 2018年6月第1版　2018年6月第1次印刷　　责任校对 / 周瑞红

定　　价 / 32.00元　　　　　　　　　　　　　　　责任印制 / 施胜娟

图书出现印装质量问题，请拨打售后服务热线，本社负责调换

一个红色卷发的小女孩，比同龄人个子稍高，性格腼腆内向，不太喜欢说话，却总在以自己的方式静静地观察周遭的一切，感知整个世界。

这个女孩名叫伊万格丽莎，不过大多数人都叫她"丽莎"。这个女孩就是我。"丽莎"其实是"伊万格丽莎"的简称，在希腊语中，它的意思是"好消息"。

对我来说，冬天的确意味着"好消息"！

当然，冬天也意味着十万个为什么，我有好多好多问题想问！

比如……为什么会有冬天？

比如……为什么冬天一年只有一次？

比如……为什么气温会降低？为什么壁炉里的火苗会跳舞？为什么燃烧后的灰烬会飘浮？

每次回答完我的问题，爸爸总是说："丽莎，如果你的每个问题值一个德拉克马*，那我肯定早就会变成百万富翁啦！"

---

* 译者注：德拉克马；曾为希腊使用的货币单位，于2002年被欧元取代。

为什么别人对冬天望而生畏，而我却那么喜欢冬天呢？

为什么别人喜欢披着厚厚的毛毯蜷缩在壁炉旁，而我却渴望到户外去呢？

不过，这也不是什么难解之谜：我热爱四季——春夏秋冬，却唯独对冬天青睐有加，这一切都源于我的爸爸！

爸爸工作勤奋，但总会在百忙中抽出时间来陪我度过冬天的些许时光。他总会给我带来各种各样的小惊喜，为我做一些特别的事情，让我开心快乐地感知世界，感受生活。

冬天对我来说有着与众不同的意义。首先，希腊是个特别干燥的国家，而随着冬季如约而至的雨水则会冲刷一切，就好像冬天给整个希腊洗了个澡！

冰冷的雨水飘散着淡淡的清香，如此美丽，如此难忘，雨水蕴含着冬天所有美好的气息。

当然，一年四季无论哪个季节，我们对吃都特别讲究。为什么不呢？我们可是以美食闻名的希腊人呀！

每当冬天来临，爸爸总会带我进城享受一顿特别的早餐，以庆祝这个美好季节的到来。

他会带我去一个富丽堂皇的高档咖啡馆，而我，则像一个优雅的大家小姐，先点上一片黄油蜂蜜吐司和一杯热茶。

然后我们再点几块提加尼特斯（tiganites）烤薄饼。这种薄饼不加鸡蛋，所以分量较轻，不过还是很能抵挡饥饿的。接下来，我跟爸爸会分享一份加蜂蜜的切片橘子——那味道宛如天堂般甜蜜美妙，足可以温暖任何一个小女孩的内心！

有一道美食是我一年四季都最爱的希腊点心——蜂蜜泡芙。

似乎足足等了一个世纪，服务生才端上一盘长得像甜甜圈、撒着肉桂粉和坚果的泡芙——满当当、热腾腾、圆鼓鼓。

新鲜的香料加上自然的配料：蜂蜜、肉桂、坚果，从内到外温暖着我，让我无比快乐，带给我满满的幸福感。

冬天的早上总是开始得很早。但不管什么季节，我们家总是那么温暖舒适。我家房子很大，两间大卧室，一间超大的起居室，厨房和餐厅挨着。一家三口从厨房进进出出，端个盘子拿个碗什么的，这让我们的早餐时间显得忙忙碌碌，却也充满了乐趣！这就是其乐融融的家庭时光。

宽大的厨房窗户外面是一大片空地，附近的孩子都喜欢在那儿踢球。这是一幅美妙的画面。不过，正像你所担心的那样，我们的窗户也经常被打碎！即便如此，我也从来没听到过爸爸妈妈抱怨。我想，他们肯定非常高兴看到这么多孩子在自己的院子里尽情玩耍。

冬天是慵懒的季节。每天午饭后，迎接我的是柔软的抱枕和厚厚的毯子。不过，入睡之前，我总是侧耳倾听那个熟悉的声音，它会让我从床上一跃而起，冲向门外。

不，这不是妈妈喊我喝茶的声音。

不，这也不是爸爸喊我玩耍的声音。

这是一个陌生人的声音，但也并不那么陌生。每一个冬日的午后，这个声音都会让我喜不自胜，这个人就是在附近一带沿街兜售热板栗的人！

每当听到他那轻柔却诱人的叫卖声，每当听到他的小推车吱吱呀呀从狭窄的街道穿过，我开心极了。

"热乎乎的栗子喽！热乎乎的栗子喽！"

无论我睡的多香，只要一听到他的声音，我会立刻兴奋地睁开眼，从床上跳下来。

然后，我就能吃到热乎乎的栗子啦！

哦，我是多么感谢卖栗人那诱人的叫卖声呀，还有小推车在转角处的吱吱呀呀声，还有爸爸脸上那写着"是的，小丽莎，你现在可以去买栗子啦"的表情。

一看到爸爸许可的表情，我就迫不及待地冲出家门！

尽管离上次见面已经超过了一年，那个卖栗人依然清晰地记得我。可能是因为看我见到他那么高兴，也可能因为他在大柳条筐里给我挑最大最热的栗子时我的耐心等待。他总会多给我一些。

当他为我捧上精挑细选的栗子时，我看到那双布满厚茧的粗糙的手。爸爸说，种栗子的农民都是山里人，因为他们那儿的栗子树长得最高。他们春种秋收，辛勤耕作，等到冬天就把收获的栗子拿到镇上来卖。

爸爸妈妈对我说，这些卖栗子的农民每年收获后就会在镇里租间小房子，把所有栗子运过来储存在租来的房子里。

每天清晨，他们在小推车上装满栗子沿街叫卖。爸爸说这些农民希望尽快把栗子卖完，这样就可以早日回家跟家人团聚了。

谨献给

我挚爱的父母，以及所有在孩子幼小的心灵上播种爱、感恩和慷慨的父母们！愿本书能伴您左右，对您有所帮助！

怀着爱和感恩，献给您

丽莎 *Litsa*

在这一年中最后的季节里，一家人终于可以围在壁炉旁取暖聊天；冻得青紫的手也要戴上暖和的毛手套了；床上也会多铺几层软软的毛毯。冬天也意味着一年一度雨季的到来，冰冷的雨水彻底洗去夏日的炎热，也带走了秋天的干燥。

寒冷的清晨，准备早餐的妈妈冻得上下牙直打架，惹得我和爸爸忍不住笑她。爸爸自己也冻得不停地搓手，还不忘隔着面前那杯冒着热气的咖啡冲我眨眼。

爸爸曾教我要热爱一年里不同的季节！但是冬天啊，总有最多的难忘回忆！

生板栗的壳非常坚硬。每天早上，那些农民先把栗子煮熟，再跟肉一起翻炒，这样栗子的外壳就会变软。然后，他们把栗子装进一个个大袋子里保温，再把这些袋子装进一个个大柳条筐里，再把柳条筐抬到小推车上。

待一切收拾停当，他们就会推着小推车在镇上铺满鹅卵石的街道上沿街兜售。人们老远就能听见小推车那吱吱呀呀的声音，迫不及待地在门口等着买栗子！

那个卖栗人给我挑了最好的栗子，装进一个报纸卷成的漏斗状圆筒里，然后递给我。我给了他一个德拉克马，手里捧着那个纸圆筒，就像捧着一个烫手的热土豆！我急不可耐地想马上就剥开一个栗子，尝尝那久违的热乎乎的香甜果肉。

吃到栗子的那一刻，一种莫名的满足感油然而生，我实在太爱吃栗子啦！当然，一年四季我能品尝到各种各样好吃的，特别是希腊闻名的新鲜水果和蔬菜，但是，板栗却是我时时刻刻都无比渴望的零食！

吃板栗可是要费点工夫的，因为它的壳比其他坚果的都硬。爸爸经常说，与其说是剥栗子，还不如说是剥栗子壳，他说的一点不错。栗子煮熟后，栗子壳就炸裂开来。

微黄的栗子果肉从裂缝里挤出来，然后我们就可以剥出一个热乎乎、甜滋滋的栗子啦。

栗子味道甜美，其他任何美食都比不上这个冬日里的小零食。不过，与此同时我也深深地意识到，自己对盛产这种美味果实的栗子树竟然一无所知！

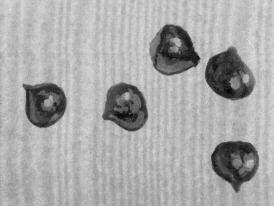

于是，我想要一探究竟，彻底弄明白关于栗子树的一切。

　栗子树是不是很高？它们是不是很受鸟儿们喜欢？鸟儿们能在树上筑巢吗？栗子树开的花长得像不像我春天最喜欢的杏花？我住的地方为什么没有栗子树呢？

　对于这种带给我巨大满足感的神奇之树，下面就是我找到的关于它的信息。

　你知道吗？栗子树可以长到20米高！怪不得我住的地方没有栗子树呢，它们更喜欢在栗农居住的海拔更高的多山地区生长。

　它们在远离城市的山里长得最为茁壮，那里土壤深厚、土质肥沃，而且它们也有足够的空间可以肆意生枝长叶。幸运的是，栗子树喜欢大量光照，世界上还有哪个地方比希腊拥有更充足的阳光呢？

栗子树在春天授粉，夏季时，板栗的果实由小变大，同时叶子也越长越肥，奶白色微黄的叶子还能散发出浓郁的气味。

与其他果树不同，板栗无须人们主动采摘。每年十月份左右，栗子成熟后"扑通"一声就自己落到地上，农户们只需捡拾就行。接下来，这些新鲜的板栗就整装待发，准备送往我住的这种希腊小镇上。我是多么幸运啊！

我永远不会忘记，那些寒冷的冬日清晨，空气中弥漫的热腾腾的栗子香味诱得我从梦中醒来；我永远不会忘记，手掌里的那份温暖，那个报纸筒里装的仿佛是稀世珍宝一般；我永远不会忘记，那个卖栗人老友一般，友好地冲我眨眼睛问候！

时间似乎总是过得那么快。长大以后，时至今日，我还没明白秋天去了哪里，冬天就已然来临！不过，无论我身在何处，无论我工作多么繁忙，我一直都是怀着满腔的喜悦迎接冬天的到来。冬季的第一场雨总是让我情不自禁地会心微笑。当别人都匆忙跑进室内避雨的时候，我却静静地伫立在雨中，等着那个快乐的卖栗人推着一推车的栗子来到我家门前。

尽管那个卖栗人早已不在，但他的栗子却依然如约而至。每年冬天，都会有新一代的山区农户推着小推车沿街叫卖，把热乎乎的新鲜栗子卖给那些心存感激的人，他们已经为了栗子的归来等了整整一年！

在希腊生活的那些个冬天教会了我许多——热爱冰凉的冬雨，品味舌尖上的蜂蜜、坚果和豆蔻，体味指尖上栗子的温暖；但冬天教给我最重要的一课却是：真正带给孩子巨大快乐的是生活中的点滴细节！

它可能是与你深爱之人一起度过假日，也许是跟心爱的人分享你最爱的小点心，比如爸爸立冬那天带我去吃那顿特别的早餐，又或者只是可以捧在手心的小零食。但无论它是什么，冬天每年都会如约而至！

当今社会，我们比以往任何时候都想要更大、更快、更强、更贵，但于我而言，最珍贵的记忆却并非昂贵之物或精美的礼物，而是一个德拉克马就能带来的无尽快乐。瞧瞧它能带给我多少无价之宝吧：一个老朋友在栗子筐里帮我挑拣上好板栗的微笑；我手里一个热乎乎的报纸卷；还有舌尖上板栗的香甜！

烤栗子

请在家长的监护下准备配料

453.6克栗子

制作过程：

将烤箱预热至218摄氏度

让父母用锋利的水果刀在栗子壳上从上到下划一个大大的"X"状

不要试图把栗子切开，因为果肉很硬，很容易伤到你

把栗子摆放到一个浅烤盘上，根据栗子的大小，放进烤箱里烤30～40分钟

烘烤期间数次晃动烤盘，让栗子翻滚，使其均匀受热

栗子稍稍冷却之后剥皮。若待其完全冷却，会再次变坚硬

栗子也可以在户外烤炉上烤

要仔细观察，及时翻转

在栗子表皮上划"X"非常必要，否则受热后栗子容易爆炸

如果喜欢，吃的时候可以再蘸一些融化的巧克力

露蔻梅德（LOUKOUMADES）

露蔻梅德最好即做即食，趁热吃味道最棒。

请在家长的监护下制作

（下面配料可以做36～40个）

1 袋活性干酵母	3杯中筋面粉
1汤匙白糖	1/4汤匙盐
2杯温水（分开）	1汤匙香草
1颗常温鸡蛋	植物油适量

制作过程：

将酵母、白糖、鸡蛋、1/2杯温水放入一个大碗中搅拌均匀

加入剩余的水、面粉、盐和香草

充分搅拌，直到面糊均匀光滑

盖上保鲜膜放在温暖的地方发酵1小时左右，待面糊体积增大约1倍

在锅内倒入7～10厘米深的植物油，油温烧至190度

用勺子将面糊做成球状下入热油锅，炸至金黄

捞起放在垫有吸油纸的盘中。吃的时候可以在热糖浆中蘸10～15秒

放进深盘中，淋上热糖浆

可以撒上碎核桃粒、烤芝麻和肉桂粉

糖浆的做法：

1杯蜂蜜

1/2杯水

1/4杯白糖

1汤匙柠檬汁

将所有原料放进一个小壶里

小火加热，不停地用木勺搅拌，直至白糖溶化

此时，糖浆就算大功告成了

作者：丽莎·博隆扎克斯

插图：丹妮拉·扎基娜

本套丛书